El nuevo amigo de Franklin

El nuevo amigo de Franklin

Escrito por Paulette Bourgeois
Ilustración de Brenda Clark

Traducción de Ana Cristina Robledo
Armada electrónica de Alexandra Romero

GRUPO
EDITORIAL
norma

Barcelona, Bogotá, Buenos Aires, Caracas, Guatemala, Lima, México, Miami,
Panamá, Quito, San José, San Juan, San Salvador, Santiago de Chile

Franklin siempre había vivido en la misma casa y en la misma ciudad. Había crecido con sus amigos, y cada uno tenía un lugar especial en la vida de Franklin.

Cuando Franklin quería jugar a las escondidas, llamaba a Zorro. Si Franklin necesitaba un mejor amigo, llamaba a Oso.

Franklin nunca había pensado en hacer otros amigos hasta que una familia nueva se mudó cerca de ahí.

Franklin tenía curiosidad acerca de los recién llegados.

Se frotó los ojos cuando vio a los de la mudanza descargar los muebles. Las camas eran hechas para gigantes, y las lámparas eran tan altas como árboles.

Cuando Franklin finalmente logró ver a la familia, quedó sin habla.

Franklin no conocía ningún alce. Había oído
hablar de los alces, y había visto fotografías de
alces, pero nunca había visto uno de verdad. Eran
enormes: hasta el alce más pequeño era grande.

Franklin quedó tan asustado que salió
disparado para su casa.

–¡Se acaba de mudar una familia de alces al vecindario!

–Qué bien –dijo la mamá de Franklin–. Tal vez conozcas un nuevo amigo.

–No lo creo – negó Franklin con la cabeza.

–Espero que seas amable cuando conozcas a alguien nuevo –le advirtió su mamá.

Franklin frunció el ceño.

A la mañana siguiente, había un alce en el
salón de Franklin.

–Quiero que le den una cálida
bienvenida a nuestro nuevo compañero –dijo
el profesor Búho.

–Hola, Alce –dijeron todos al tiempo.
Alce murmuró "hola" y se miró los pies.
–No se ve muy amigable –susurró Castorcita.

El profesor Búho le dijo al salón que Alce
había venido de un lugar diferente, muy
lejano.

–Franklin –dijo el profesor Búho–, me
gustaría que fueras amigo de Alce.

Franklin trató de sonreír pero tenía miedo.
¡Alce era muy grande!

Alce no dijo una palabra en toda la mañana.

A la hora del recreo, Franklin corrió al patio con sus amigos, y dejó a Alce atrás. Pero el profesor Búho le recordó a Franklin que fuera amigable con Alce.

–¿Quieres jugar? –le preguntó Franklin.

Alce negó con la cabeza.

Franklin se sintió aliviado.

En el recreo, Alce se quedó solo mientras
Franklin y sus amigos jugaron fútbol.

Zorro le pegó muy duro a la pelota, y esta
quedó atascada en el árbol.

–Ahora tendremos que buscar al profesor Búho
–se quejó Oso.

–¡Yo la tengo! –exclamó Alce. Bajó la pelota del
árbol y la lanzó hacia Franklin.

–Eso estuvo bien –dijo Zorro.

–Supongo que sí –dijo Franklin.

De vuelta en el salón, el profesor Búho les pidió a Franklin y a Alce que hicieran un afiche para una venta de pasteles.

—No necesito ayuda —dijo Franklin.

El profesor Búho le habló a Franklin a solas.

—Trata de imaginarte cómo se siente Alce. Es nuevo y no tiene amigos aquí. Seguramente tiene miedo.

—Alce no puede tener miedo —dijo Franklin—. Es muy grande.

El profesor Búho miró a Franklin.

—Grande o pequeño, a todos nos da miedo.

Franklin pensó en eso.

Franklin buscó el papel y las pinturas.

–¿Quieres ayudarme, Alce?

–Claro que sí –dijo Alce–. Me encanta pintar.

Se sentaron lado a lado y pintaron un afiche juntos.

Franklin se dio cuenta de que Alce no se veía tan grande cuando estaba sentado.

Después de mucho trabajo,
el afiche quedó perfecto.
Ambos así lo creían.
   Cuando fue la hora de ir a la
biblioteca, Franklin le enseñó a
Alce cómo retirar libros.

Alce le enseñó a Franklin cómo cortar un
círculo perfecto.
    A ambos les gustaba armar estructuras.
Franklin y Alce tenían mucho en común.

A la hora del almuerzo, Franklin se aseguró de que Oso y sus otros amigos conocieran a su nuevo amigo.

Les gustaba Alce. Además, jugaba muy bien al fútbol.

Cuando Franklin regresó a casa después de la escuela, estaba feliz.

—¿Adivina qué? —le dijo a su mamá—. Tengo un nuevo amigo.

—¿Así que conociste a Alce? —le preguntó su mamá—. ¿Qué tal es?

—Alce es grande —dijo Franklin—. Pero no es malo ni me asusta.

—Qué bien —dijo su mamá—. ¿Te gustaría llevarle algunas de estas galletas?

Franklin fue a la casa de Alce.
Se comieron las galletas juntos.
 —Me alegro de que seas mi amigo
—dijo Alce—. Estaba preocupado de que
nadie jugaría conmigo.
 —¿De verdad? —dijo Franklin. Apenas
recordaba haberle temido a Alce.

De ahí en adelante, Franklin y Alce jugaban juntos todo el tiempo. Ahora el nuevo amigo de Franklin era un amigo especial.